PWY OEDD RHYS GETHIN?

YR YMCHWIL AM GADFRIDOG
OWAIN GLYNDŴR

PWY OEDD
RHYS GETHIN?

Yr ymchwil am gadfridog
Owain Glyndŵr

CLEDWYN FYCHAN

CYMDEITHAS LYFRAU CEREDIGION GYF

Cyhoeddwyd gan Gymdeithas Lyfrau Ceredigion Gyf.,
Blwch Post 21, Yr Hen Gwfaint, Ffordd Llanbadarn,
Aberystwyth, Ceredigion SY23 1EY.
Argraffiad cyntaf: Gorffennaf 2007
ISBN 978-1-84512-058-0

Cefnogwyd y gyfrol gan Gyngor Llyfrau Cymru
Argraffwyd yn yr Eidal

Cyflwynedig i
Betsan
na chododd mewn pryd
i glywed galwad y blaidd.

⚌ CYNNWYS ⚌

⁄⁄⁄

═ RHAGAIR ═

SAIL y llyfryn hwn yw sgwrs a luniais dros bymtheng mlynedd yn ôl i geisio achub cam un o wŷr mawr Buallt. Os na lwyddais y tro hwn, rwy'n ffyddiog y caiff ei haeddiant ryw ddydd a ddaw.

Mae arnaf ddyled fawr i Mr a Mrs Brian Watkins, Llwyngwychwyr, am bob croeso a chymwynas ac am gadw'r cof yn fyw am un a fu'n byw ar eu haelwyd chwe chan mlynedd yn ôl.

Diolch hefyd i John H. Davies, gynt o Lanwrtyd, a Charles Parry o Aberystwyth am eu cymorth hwythau flynyddoedd yn ôl bellach.

Heb yr anogaeth a'r pwysau o du Dylan Williams a staff Cymdeithas Lyfrau Ceredigion fyddai'r sylwadau hyn ar Rhys Gethin ddim wedi gweld golau dydd.

Manteisiais hefyd ar sylwadau Dr Bleddyn O. Huws, Prifysgol Cymru Aberystwyth. Diolch yn fawr iawn iddynt i gyd.

Fel arfer bydd rhaid imi syrthio ar fy mai a derbyn cyfrifoldeb am bob diffyg a gwall yn y gwaith.

CF

Y Fedw, Llanddeiniol

Ebrill 2007

Pe bai rhywun yn mynd ati i chwilio drwy bob bywgraffiadur, a darllen pob cofiant, llyfr hanes, nofel, drama ac erthygl a ysgrifennwyd am Owain Glyndŵr hyd at ddiwedd y bedwaredd ganrif ar bymtheg, y mae'n amheus gen i a fyddai'n dod o hyd i gymaint ag un cyfeiriad at Rhys Gethin. Ond daeth tro ar fyd gyda throad y ganrif honno pan gyhoeddodd Arthur Granville Bradley ei gyfrol *Owen Glyndwr and the Last Struggle for Welsh Independence* yn 1901. Y gyfrol honno, gredaf i, a lansiodd Rhys Gethin ar y don o boblogrwydd sydd wedi'i wneud y mwyaf adnabyddus o blith holl ddilynwyr Owain Glyndŵr erbyn heddiw.

Sut, neu ble, felly, y cafodd Bradley'r deunydd crai a oedd i hwylio Rhys Gethin ar ei ffordd i amlygrwydd?

Ar dudalen 171 o'i gyfrol dywed Bradley mai Rhys oedd arweinydd byddin y Cymry ym mrwydr y Bryn Glas yn nyffryn Llugwy yn yr hen Sir Faesyfed yn 1402 pan gymerwyd Edmwnd Mortimer yn garcharor. Nid yw'n hawdd darganfod ar ba sail y dywed hyn ond mae'n bosibl mai ei ffynhonnell oedd y llawysgrif 'Historia vitae et regni Ricardi Secundi' ('Hanes bywyd a theyrnasiad Rhisiart II') a ysgrifennwyd gan fynach o Abaty Evesham, rhyw 50 milltir, fel yr hed y frân, i'r de-ddwyrain o safle'r frwydr, a hynny'n fuan iawn, mater o fisoedd efallai, ar ôl y digwyddiad. Gan fod Harri IV yn ymwelydd cyson â'r abaty hwnnw, ystyrir tystiolaeth y mynach yn un dra dibynadwy.

Er bod yn y llawysgrif ddisgrifiad gweddol fanwl o'r frwydr, yr unig gyfeiriad posibl at Rhys Gethin yw'r un at Gymro o'r enw Rees á Gytch, gŵr y dywedir iddo awdurdodi'r anfadwaith a wnaed ar gyrff y lladdedigion yn dilyn y frwydr. Gan na welais y llawysgrif wreiddiol, rwyf wedi gorfod dibynnu ar ddarlleniad Thomas Hearne yn yr argraffiad a gyhoeddodd yn 1729, ac fe all bod Hearne wedi camddarllen ac mai Rhys Gethin sydd yn y gwreiddiol. Ta waeth am hynny, ymddengys bod Bradley wedi ymarfer rhyw gymaint ar ei ddychymyg wrth wneud Rhys Gethin yn arweinydd byddin Glyndŵr ar yr achlysur hwnnw.

Y mae seiliau cadarnach i'r ddau gyfeiriad arall a geir gan Bradley. Ar dudalen 190, cyfeiria at lythyr o eiddo Jankyn Havard, cwnstabl Castell Dinefwr, ger Llandeilo, yn enwi Rhys Gethin ymhlith y rhai oedd gydag Owain Glyndŵr yn Nyffryn Tywi yn 1403. Cyhoeddwyd y llythyr yn ail gyfres *Original Letters* a olygwyd gan Henry Ellis yn 1827, a dyma'r adran berthnasol:[1]

> Oweyn Glyndour, Henri Don, Res Duy, Rees ap Gr. ap Llewellyn, and Res Gethin hav ywon the town of Kermerdyn, and Wygmor Constable of the Castell hadd yzeld op the Castell of Kermerdyn to Oweyn, and hav ybrend the Town and yslay of men of town mor than 50 men; and thei budd yn purpos to Kedweli; and a seche ys y ordeynyd at the Castell that i kepe and that ys gret peril for me . . .

---

1 Cyf. 1, t.14.

Fe dâl inni sylwi ar y pedwar gŵr a enwir: Henri Dwnn o Gydweli, Rhys Ddu o Geredigion, Rhys ap Gruffudd ap Llywelyn Foethus, cwnstabl Castell Dryslwyn a oedd newydd drosglwyddo'i gastell i Glyndŵr, a Rhys Gethin.

Y tri cyntaf o'r De – ond gŵr o ble oedd Rhys Gethin tybed?

Ar dudalen 246 adroddir bod Rhys Gethin ar fin croesi'r ffin i Loegr gyda byddin fawr yn 1405. Does fawr o amheuaeth bod y sylw hwn yn seiliedig ar lythyr dyddiedig 27 Ionawr 1405 a anfonodd y Tywysog Harri (Harri V yn ddiweddarach) at Harri IV ei dad yn ei rybuddio (ac rwy'n cyfieithu o'r Ffrangeg):[2]

> bod Rhys Gethin ac eraill o'i blaid yn y gwrthryfel i'ch erbyn yn cynnull beunydd niferoedd mawrion o bobl oddi mewn i wlad Buallt ac yn bwriadu croesi gyda'u lluoedd i Swydd Henffordd.

Ar sail tystiolaeth y llythyr hwn fe ragdybiodd Bradley mai Rhys Gethin oedd yn arwain y fyddin a drechwyd

2 CMRW 1, t.25.

yn Grosmwnt ger y ffin â Swydd Henffordd ryw chwe wythnos yn ddiweddarach.

Bu haneswyr mwy diweddar yn llawer cynilach eu hasesiad o gyfraniad Rhys Gethin i'r Gwrthryfel, ac eithrio J. D. Griffith Davies yn ei gyfrol *Owen Glyn Dwr* a gyhoeddwyd yn 1934. Roedd Griffith Davies yn awdur cyfrolau yn Saesneg ar Harri IV a Harri V ac felly'n gyfarwydd â ffynonellau hanes y cyfnod, ond y cyfan a wnaeth yn achos Rhys Gethin oedd ailadrodd yr hyn a ddywedodd Bradley a'i wneud yn arweinydd byddin Glyndŵr ym mrwydrau Bryn Glas a Grosmwnt.

Digon cyndyn fu'r nofelwyr a'r dramodwyr a ysgrifennai am Glyndŵr yn Gymraeg i wneud defnydd o'r Rhys Gethin a gynigiwyd gan Bradley.

Pan ymddangosodd *Glyndŵr*, drama dair act gan Beriah Gwynfe Evans ar gyfer arwisgiad 1911, nid oedd ynddi'r un cyfeiriad at Rhys Gethin a phan gyhoeddwyd y ddrama *Owain Glyndŵr* gan Peter Williams (Pedr Hir) yn 1915, er iddo ennill ei le ar y llwyfan, ni chafodd Rhys yngan cymaint ag un gair.

Bu'r rhai a ysgrifennai yn Saesneg, er mai ychydig ydynt, yn barotach i ymateb i Bradley. Tueddent i

gyfieithu Gethin fel 'Fierce' bron yn ddieithriad, ac
fe ddatblygodd Rhys dan eu dwylo yn benboethyn
byrbwyll, gwlatgar. Yn y nofel hanesyddol *Owen
Glendower* gan John Cowper Powys a ymddangosodd
yn 1941, fe'i gwnaed yn brif gapten Owain, a gŵr a
wnâi sylwadau megis:

> He's a spy caught in the act. Swing him over, I say,
> over a stout branch of ashwood.

Yn nrama Dedwydd Jones, *Owen Glyndŵr*, a welodd
olau dydd yn 1970, y cyrhaeddodd Rhys Gethin
bendrawdod ei fileindra. Gwrandewch ar rai o'i linellau:

> I'll have his eyes, I swear it.
> I'll nail his beating heart to his coffin.
> I'll rip a few Saxon throats for him.
> Mortimer's face would look pretty on a pike.
> I have been mangled by your dogs, my Lord!
> I have other wounds but none like this one!
> It weeps still. It festers still. It bleeds still!
> A wolfhound, a Master Butcher and a Rat King
> did that.

Mae arna i ofn fy mod wedi crwydro cryn dipyn oddi ar fy llwybr erbyn hyn, a hynny'n fwriadol gan amcanu dangos mai creadigaeth Bradley yn ei hanfod yw'r Rhys Gethin poblogaidd fu'n adnabyddus fel swyddog cyhoeddusrwydd ymgyrch Meibion Glyndŵr rhwng 1979 a 1990.

Dyna ddigon am y driniaeth a gafodd Rhys Gethin dan law'r nofelwyr a'r dramodwyr. Dychwelaf at y testun. Pwy oedd Rhys Gethin?

Soniais gynnau fod Bradley'n gwybod am ddau neu efallai dri chyfeiriad ato mewn dogfennau cyfoes:

Yn 1402 – os ef oedd Rees á Gytch, roedd yn bresennol ym mrwydr y Bryn Glas;
Yn 1403 – roedd gyda Glyndŵr yn Nyffryn Tywi;
Yn 1405 – roedd yn cynnull byddin ym Muallt, gogledd Sir Frycheiniog.

Rwyf am alw'r Rhys Gethin hwn a oedd yn bresennol yn y tri lle uchod yn Rhys Gethin 'hanes' er hwylustod. Sylwch mai'r peth pwysicaf yn ei gylch yw bod pob cyfeiriad ato yn digwydd yn ne-ddwyrain Cymru, yn hen siroedd Maesyfed, Brycheiniog a Chaerfyrddin.

Efallai y byddwch yn synnu clywed bod o leiaf saith gŵr yn dwyn yr enw Rhys Gethin yn cydoesi â Glyndŵr, a'r hyn yr wyf am ei wneud yw crynhoi cymaint o wybodaeth ag y gallaf am bob un er mwyn barnu pa un ohonynt sydd debycaf o fod y Rhys Gethin 'hanes'. Dechreuaf felly gyda'r rhai llai tebygol.

Mae dau ohonynt yn gyfryw fel na fyddem yn gwybod dim oll amdanynt oni bai am gyfeiriadau at eu meibion. Dyna Morgan ap Rhys Gethin, deiliad y brenin yn arglwyddiaeth Ogwr a garcharwyd gan Constance Dame Lespenser yn 1403, yn ôl cofnod yn y *Close Rolls*.[3] Yn ail mae Lewys ap Rhys Gethin, gŵr dylwanedol iawn yn nhre Caerfyrddin tua chanol y bymthegfed ganrif a chyfaill i Gruffudd ap Niclas.[4] Yn anffodus nid oes gennym gyfeiriad at dad y naill na'r llall.

Yn drydydd, Rhys Gethin ab Einion ap Gwilym ab Einion Gest – gŵr o gyffiniau Llanymddyfri, efallai. Hyd y gwn i ni cheir yr un cyfeiriad ato gan y cywyddwyr, a chan fod Peter Bartrum yn cynnig

---

3 Cal CR (1402-5), t. 27.
4 CHC 4, t. 37; PWLMA, t. 338.

dyddiad geni oddeutu 1400 iddo yn ei waith mawr *Welsh Genealogies*, cyfrolau y bûm yn pwyso'n drwm arnynt, mae'n annhebyg iawn mai ef yw'r gŵr yr ŷm yn chwilio amdano.[5]

Gŵr o ogledd Ceredigion oedd y pedwerydd, Rhys Gethin ab Ieuan ap Rhys ap Llawdden y Gath, gorwyr y Llawdden hwnnw a roes ei enw i Neuadd Lawdden, yr hen enw ar Nanteos. Hyd y gwyddys ni chadwyd cyfeiriadau ato yntau chwaith yng ngweithiau'r cywyddwyr, ond mae'n sicr ei fod yn ŵr o bwys yn y gymdogaeth honno. Bu'n gwnstabl cwmwd Perfedd, y wlad rhwng afonydd Clarach a Rheidol, yn 1386, ac yn brif ynad yno yn 1391/2; yn 1399 fe'i dirwywyd am beidio mynychu agoriad y Sesiwn. Awgrymodd un hanesydd mai hwn oedd Rhys Gethin 'hanes' ond y mae un rheswm da dros amau hynny. Os yw tystiolaeth y llawysgrifau achyddol yn gywir, roedd y Rhys Gethin hwn yn frawd i hen dad-cu Rhys Ddu o Geredigion, un o gefnogwyr selocaf Glyndŵr. Byddai felly mewn gwth o oedran pan gychwynnodd y Gwrthryfel yn 1400,

---

5 WG Rhydderch Ddu 6.

yn ddeg a thrigain oed yn ôl amcangyfrif Bartrum. O ganlyniad mae'n annhebyg y byddai wedi cymryd rhan weithredol yn y cyrchoedd. Efallai'n wir mai llesgedd henaint a'i cadwodd draw o Sesiwn 1399.[6]

Y pumed yw Rhys Gethin ap Llywelyn ap Gwallter, a aned oddeutu 1370 yn ôl Bartrum, ac os felly byddai ym mlodau ei ddyddiau adeg y Gwrthryfel, er nad oes unrhyw dystiolaeth iddo gefnogi Glyndŵr. Os oedd yn disgyn o un o'r hen dylwythau cydnabyddedig, ni chadwyd cyfrif o hynny, ac i ddweud y gwir, ni wyddom ble roedd ei gynefin chwaith. Roedd merch iddo yn briod â Llywelyn ap Phylip o Gefnhafodau, Llangurig, a gorwyres iddo wedi priodi gŵr o Nantmel, Sir Faesyfed, felly rwy'n credu y gallwn fentro'i leoli rywle tua blaenau afon Gwy. Mae'n debyg mai bonheddwr digon di-nod ydoedd, ond tua chanrif a hanner ar ôl ei farw enillodd ryw fath o anfarwoldeb pan enwyd ef mewn cywydd marwnad a ganodd Lewys Dwnn i'w or-or-ŵyr, Ieuan Gwyn ap Hywel o Nantmel.[7]

---

6 WG Llawdden 1; PWLMA, tt. 453-4, 531.
7 WG Tud Trefor 33.

Go brin fod yr un o'r pum Rhys Gethin a enwyd eisoes yn werth ei ystyried o ddifrif, ond gyda'r chweched, sef Rhys Gethin o Nantconwy, rydym wedi cyrraedd y dosbarth blaenaf.

Rwy'n credu mai Syr John Edward Lloyd, yn ei lyfr *Owen Glendower* a gyhoeddwyd yn 1931, oedd y cyntaf i gysylltu Rhys Gethin 'hanes' â Rhys Gethin Nantconwy, ac mae'r rhan fwyaf o'r rhai a ysgrifennodd am Owain ar ei ôl ef, yn haneswyr, nofelwyr a dramodwyr, wedi derbyn ei air.

Yr oedd achos cryf iawn dros gredu mai'r gŵr o Nantconwy, ar y ffin rhwng siroedd Caernarfon a Dinbych, oedd Rhys Gethin 'hanes'. Ar yr ochr wrywaidd roedd yn or-ŵyr i Dafydd Goch, mab gordderch y Tywysog Dafydd ap Gruffudd, brawd y Llyw Olaf. Nid oes unrhyw amheuaeth felly am ei uchel dras a'i waed reiol ac fe ddâl inni graffu'n fanylach ar ei deulu.

Yn dilyn dienyddiad y Tywysog Dafydd yn Amwythig yn 1283 y mae'n weddol sicr i Dafydd Goch, ei fab gordderch, fel eraill o blant y tywysogion, gael ei gipio i ffwrdd yn ddigon pell o'i gynefin, ond mae'n debyg mai ef oedd y Dafydd Goch a ailymddangosodd yng Ngwynedd dros ddeng mlynedd ar hugain yn ddiweddarach.

Yn 1315, ar orchymyn y brenin, darparwyd ef â bwyd a dillad, ynghyd ag angenrheidiau eraill, am y gweddill o'i ddyddiau yn Abaty Maenan, Dyffryn Conwy, yn dâl am oes o wasanaeth i'r brenhinoedd Edward I a II, 'fel y gallai fod gyda'i bobl ei hun'. Y flwyddyn ganlynol cafodd swyddi *wdward* Nantconwy a *bedel* cwmwd Creuddyn (yn neupen Dyffryn Conwy) gan Edward II, ac yn 1319 fe ddyfarnodd y brenin dâl o drigain swllt y flwyddyn iddo. Ym mis Awst y flwyddyn flaenorol roedd wedi derbyn cynhaliaeth bwyd a dillad yn Abaty Wirksop, Swydd Nottingham, yn ogystal â Maenan (rhywle iddo fynd ar ei wyliau, efallai!). Y mae'n bosibl fod ganddo diroedd ym Môn hefyd. Ymddengys, felly, fod Dafydd Goch wedi cael llawer gwell triniaeth dan law'r brenin nag a gafodd ei dad, y Tywysog Dafydd. Sefydlodd ei fab yntau, Gruffudd ap Dafydd Goch (sef taid Rhys Gethin) ei hun yn gadarnach yn y gymdogaeth drwy briodi Margred, merch ac etifeddes Tudur ab Iorwerth o lwyth Nefydd Hardd o Nantconwy. Yn ôl stent 1352 daliai diroedd yng Nghwmllannerch, Nantconwy, ac ar yr un pryd roedd yn flaenor rheithwyr Nantconwy.[8] Mesur pellach o statws y teulu yw bod bedd-ddelw i Gruffudd ap Dafydd Goch i'w weld o hyd yn eglwys Betws-y-coed, ac un arall i Hywel Coetmor, brawd Rhys Gethin, yn hen eglwys Llanrwst. Y mae hefyd fferm yn dwyn yr enw Hendre Rhys Gethin yn yr ardal ond nid oes modd gwybod ai dyna'i henw gwreiddiol neu ai creadigaeth hynafiaethol ydyw.

I goroni'r cyfan y mae ar gael ddau gywydd moliant o awduraeth ansicr, y naill i Rhys Gethin, Nantconwy, a'r llall i Hywel Coetmor, sy'n cynnig prawf pendant o ymlyniad y ddau frawd wrth achos Owain Glyndŵr.[9] Am Hywel dywed y bardd:

> Câr Owain hwn, gwn ganmil,
>
> Llai eu hap a'u gallu a'u hil.

Yna â ymlaen i ddweud:

---

8 Cal CR (1313-18) t. 319; Cal FR (1307-19) t. 273; Cal PR (1317-21) t. 344; RC, t. 217.
9 IGE, tt. 107-10.

> Ni all hyd fedd er llid fo
> Gwŷr oriog Lloegr ei wyro.

gan awgrymu, mae'n debyg, na fyddai Hywel yn plygu
i mofyn pardwn gan y brenin fel cymaint o'i gyfoeswyr.
Medd y bardd am Rhys Gethin:

> Milwr yw â gwayw melyn
> Megis Owain glain y Glyn.

Cyfeirir hefyd at deyrngarwch Rhys Gethin Nantconwy
i Rhisiart II cyn y Gwrthryfel:

> Llywydd yn ei ddydd â'i ddart
> Oedd Rhys yn nyddiau Rhisiart.
> Yn awr i'w gledd myn hir glod,
> I'r maes yr â i 'mosod.

Gallwn hefyd ddyfynnu o gofnod a geir yn y *Close Rolls*
am 1390 i ddangos bod y teulu hwn yn anesmwytho ac
yn dangos tueddiadau terfysglyd ddeng mlynedd cyn
dechrau Gwrthryfel Glyndŵr. Gosodwyd ymrwymiad o
£100 ar Gruffudd Fychan y tad, ynghyd â'i bedwar mab,
Hywel Coetmor, Rhys Gethin, Robert ap Gruffudd
a Gruffudd Leiaf, i gadw'r heddwch a pheidio ag

aflonyddu ar William Broun, offeiriad o Sais a oedd wedi'i benodi'n berson eglwys Llanrwst.[10]

Pe bai penderfynu pa un o'r saith oedd Rhys Gethin 'hanes' yn ddibynnol ar nifer y cyfeiriadau atynt gan y cywyddwyr, byddai'r gwron o Nantconwy ymhell ar y blaen gan fod cyfeiriadau dirifedi ato yng nghywyddau'r ddwy ganrif ddilynol.

> O'r hynaif gorau'r hanwyd
> O Rys Gethin – Elffin wyd

meddai Tudur Penllyn wrth ganu clodydd ei ŵyr, Dafydd ap Siencyn yr herwr o Nantconwy. Pwysleisir *gwythi*, sef cyhyrau Rhys Gethin yn aml.

> Rhoi ias *gwythi* – Rhys Gethin
> A wnâi dy rym yn y drin.

meddai Tudur Aled wrth gyfarch Maredudd ab Ieuan ap Robert o Ddolwyddelan.

> Troi'n glaf Ruffudd Leiaf lîn;
> Troes *gwythi* tu Rhys Gethin.

---

10 Cal CR (1389-92) t. 295.

meddai Lewys Môn wedyn wrth alaru am Ieuan ap Hywel a Gwerful ei wraig o Alltygadair, Llangedwyn,[11] tra bod Siôn Tudur yn cysylltu Rhys Gethin â brwydro:

> Rhygarw drud yn rhwygo'r drin,
> Rhwysg aeth i wŷr Rhys Gethin.

neu

> Rhagddo draw rhwygodd y drin,
> Rhwysg gywaethog Rhys Gethin.

Ond er gwaethaf yr holl dystiolaeth a amlinellais, mae gen i amheuon dwfn am uniaethu Rhys Gethin Nantconwy â Rhys Gethin 'hanes', fel y ceisiaf ddangos.

O edrych yn fanylach ar y cywydd i Rhys Gethin Nantconwy y mae ynddo ddau gwpled sy'n fy anesmwytho:

> Deil fo o *reidol i fôn*
> Yn daer iawn gyda'r union.
> Brëyr saif a bair hir sôn
> O *for Manaw* i Feirion.

---

11 Ieuan ap Hywel ab Iolyn oedd hwn o Alltygadair – cangen o deulu Moeliwrch. Gw. WG2, Bleddyn ap Cynfyn 9 (C), t. 74. Gwerful oedd yn disgyn o deulu Rhys Gethin o Nantconwy.

Rheidol i *Fôn*, *Môr Manaw* (arfordir y Gogledd) i *Feirion*; dyna'n gryno gylch ei ddylanwad – gogledd-orllewin Cymru; dim sôn am Fuallt, Maelienydd, Dyffryn Tywi a'r Gororau deheuol, y mannau a gysylltir â Rhys Gethin 'hanes'.

Gellid dadlau i'r cywydd gael ei ganu yn hwyr yn ystod y Gwrthryfel pan oedd Glyndŵr wedi colli ei afael ar y De. Er hynny, credaf ei bod hi'n werth cadw'r anhawster hwn mewn cof.

Lai na chant a hanner o flynyddoedd ar ôl y Gwrthryfel fe anwyd Siôn Wyn o Wedir yn yr un ardal yn union â Rhys Gethin Nantconwy. Dyma ŵr a chanddo ddiddordeb byw yng ngorffennol ei ardal a'i dylwyth ac a groniclodd hanesion tu hwnt o ddiddorol amdanynt yn ei gyfrol adnabyddus *History of the Gwydir Family*.[12]

Yn y gyfrol hon mae Siôn Wyn yn cyfeirio at Hywel Coetmor y brawd hŷn fel 'captain of a 100

12 Golygwyd argraffiad newydd ohoni gan ŵr arall o'r un filltir sgwâr, yr Athro John Gwynfor Jones. Sir John Wynn, *History of the Gwydir family and memoirs*, gol. J. Gwynfor Jones, Gwasg Gomer, 1990.

Denbighshire men with the Black Prince', ond nid oes ganddo ddim mwy i'w ddweud am Rhys Gethin na'i enwi ymysg hynafiaid Dafydd ap Siencyn, yr herwr y cyfeiriais ato eisoes. Mae'n taro'n chwithig iawn i mi na fyddai gan Siôn Wyn o bawb fwy i'w ddweud am Rhys Gethin Nantconwy os ef oedd Rhys Gethin 'hanes'. Yr argraff a geir ganddo yw mai Hywel Coetmor oedd yr enwocaf o'r ddau frawd, ond efallai bod bedd-ddelw Hywel Coetmor yn Llanrwst wedi sicrhau'r lle blaenaf iddo yng nghof gwlad.

Yn 1810 aeth Richard Fenton, y bardd a'r hynafiaethydd o'r hen sir Benfro, ar daith drwy rannau o'r Gogledd a galwodd heibio i'r Parchedig Mr Pryce yn Hendresgethin, Penmachno (neu Hendre Rhys Gethin fel yr esboniwyd yr enw iddo). 'From this Rhys Gethin was descended Howel ap Evan a noted outlaw', meddai Fenton, ond nid oes ganddo air am gysylltiad Rhys ag Owain Glyndŵr.[13]

Beth tybed sydd gan hynafiaethwyr mwy diweddar Nanconwy i'w ddweud ar y mater? Y mwyaf nodedig

13 TW, tt. 184-9.

ohonynt yn ddiau oedd Owen Gethin Jones, saer maen y mae un o'i gampweithiau i'w weld yn y bont sy'n cario'r rheilffordd dros y briffordd o Fetws-y-coed i Ddolwyddelan. Yn ei gyfrol *Gweithiau ... Gethin* (1884) ceir traethodau sylweddol ar hanes tri phlwyf Nanconwy: Ysbyty Ifan, Penmachno a Dolwyddelan. Yno mae'n enwi Hendre Rhys Gethin, er na wna unrhyw ymdrech i gysylltu'r fangre â'r gŵr o'r un enw, a'r cyfan sydd ganddo i'w ddweud am Rhys Gethin yw ei fod 'yn filwr dewr ac yn bleidiwr gwresog i Owain Glyndŵr'.

Yn yr un flwyddyn ymddangosodd *A guide to Nantconwy* gan Ellis o'r Nant, ond yr unig beth a ddywedir am Hywel Coetmor a Rhys Gethin yw eu bod yn feibion (wyrion sy'n gywir) i Gruffudd ap Dafydd Goch y gŵr y ceir ei fedd-ddelw yn eglwys Betws-y-coed.

Yn rhifyn Ionawr 1900 o'r cylchgrawn *Cymru*, cyhoeddodd Elis o'r Nant ei atgofion am Ioan Glan Lledr, bardd gwlad o'r un ardal a honnai ei fod yn ddisgynnydd i Rhys Gethin, ac mae'n werth imi ddyfynnu ychydig frawddegau i ddangos y

driniaeth a gafodd y cof am Rhys Gethin gan ei
deulu ei hun:

> Meddai y teulu hanesion traddodiadol – nid
> traddodiad chwaith yn yr ystyr a geir yn bresennol
> i'r gair – ond hanes cywir am a fu, wedi disgyn i
> lawr yn gadwen ddifwlch o'r gorffennol pell. A
> dyma'r hanesion a fydd dan sylw yn yr ysgrifau
> hyn . . . Gadawodd [Gruffudd Fychan] ddau fab
> cawraidd ar ei ol, – y ddau yn enwog yn eu dydd,
> sef Hywel Coetmor a Rhys Gethin. Yr oedd Rhys
> yn bur gaeth i swynion y rhyw deg pan yn ieuanc;
> yn y pymtheg mlynedd olaf o'i oes yr oedd wedi
> ymbesgi ac ymfrashau fel yr ymddanghosai fel
> bryn yn ymsymud.

Bratiog ac annelwig yw llawer o'r cyfeiriadau
diweddarach at Rhys Gethin. Yn ôl hanesyn yn *Cymru*
1906, lleidr ac ysbeiliwr ydoedd, a oedd yn byw yng
Nghastell Dolwyddelan yng nghyfnod y Tuduriaid, tra
bod W. Bezant Lowe yn *The Heart of North Wales* II
(1927) yn ei osod yn Oes y Stiwartiaid ac yn ei gysylltu
â Roderick Llwyd o Hafodwryd, Penmachno. 'As a boy',

meddai Lowe am Roderick Llwyd, '. . . his parents had wished that he should become a bishop, but, as a result of his wild behaviour he was sent with his friend Rhys Gethin to school in London'.

Ond i ddychwelyd at ein hen gyfaill Arthur Granville Bradley. Yn 1898 cyhoeddwyd ei lyfr *Byeways and Highways of North Wales*, lle traetha'n helaeth ar gymdogaeth Nantconwy. Gwyddai mai yno yr oedd cynefin Hywel Coetmor, ond nid yw'n sôn gair am Rhys Gethin ei hun. Mae'n anodd derbyn na chlywsai amdano, ond os do, mae'n rhaid na ddaeth i'w feddwl i'w gysylltu â'r Rhys Gethin 'hanes' y rhoddodd gymaint o sylw iddo yn ei lyfr ar Owain Glyndŵr dair blynedd yn ddiweddarach.

Dyna swm a sylwedd yr hyn sydd gen i i'w draethu am Rhys Gethin Nanconwy. Ceisiais fod mor deg ag y gallwn gyda'i achos, ac ni chelais yn fwriadol unrhyw dystiolaeth dros nac yn erbyn ei uniaethu â Rhys Gethin 'hanes'.

Rwy'n siŵr eich bod chwithau fel minnau wedi clywed aml i feirniad yng nghystadleuaeth y gadair neu'r goron mewn eisteddfod yn dweud, 'Mi fyddwn yn fodlon iawn gwobrwyo hwn a hwn oni bai bod yna un cystadleuydd arall yn rhagori arno.' A choeliwch fi neu beidio, mae yna un Rhys Gethin arall y bydd yn rhaid inni ei ystyried. Ond cyn gwneud hynny hoffwn dynnu eich sylw at draddodiad llafar am Rhys Gethin.

Yn y gyfrol *Parochialia*, sef casgliad o fanylion diddorol am nifer helaeth o blwyfi Cymru a grynhowyd ynghyd gan Edward Llwyd (Lhuyd) tua diwedd yr ail ganrif ar bymtheg ac a gyhoeddwyd yn atodiad i *Archaeologia Cambrensis* 1909–11, mae cofnod tra diddorol am 'Ogof Carreg Cethin' ym mhlwyf Llanfihangel Abergwesyn yng nghantref Buallt, gogledd Sir Frycheiniog – yr union ardal lle'r oedd Rhys Gethin 'hanes' yn cynnull byddin i ymosod ar swydd Henffordd yn 1405. Dyma'r dyfyniad yn llawn:

> Carreg Cethin supposed to be so called from one Rŷs Gethin a famous Herwr and since ye hold of one Moilsin as famous a Raparee.

Dyna brawf, felly, fod yn niwedd yr ail ganrif ar bymtheg, gwta dri chan mlynedd wedi dyddiau Glyndŵr, draddodiad am ddau herwr enwog yn gysylltiedig â gwlad Buallt: Rhys Gethin y cynharaf o'r ddau, a Moilsin yn ddiweddarach. Mae'n dda gen i ddweud bod y traddodiad am y ddau yn parhau'n fyw ar lafar gwlad yn y gymdogaeth hyd heddiw, wedi'i atgyfnerthu, bid siŵr, gan fersiynau argraffedig o'r chwedlau a gyhoeddwyd o bryd i'w gilydd.

Gadawaf Rhys Gethin o'r neilltu am ychydig i fynd ar ôl Moilsin, ei olynydd yng Ngharreg Cethin. Mae cyfeiriadau diddorol at Moilsin, neu Lewsyn ap Moelyn fel y'i hadwaenid amlaf gan y ddau hynafiaethydd lleol, Daniel Davies, Tregaron (y Ton, Rhondda wedyn) yn ei gyfraniadau i *Cymru*, Ebrill 1912, ac Evan Jones, Ty'n-pant, Llanwrtyd yn ei lawysgrifau yn yr Amgueddfa Werin.[14] Priodolir tair neu bedair ogof i Lewsyn yng nghyffiniau Abergwesyn, ac yn ôl Evan Jones Ty'n-pant bu rhywrai'n cloddio yng ngenau un ohonynt gan ddarganfod olion lludw.

Hoffwn feddwl mai cof gwerin am yr herwr a'r bardd Llywelyn ab y Moel, a oedd yn ŵr ifanc yn ystod blynyddoedd olaf Gwrthryfel Glyndŵr, yw sail

---

14 AWC 1793, 117.

y traddodiad am Lewsyn ap Moelyn, ond gan fy mod eisoes wedi traethu ar y pwnc hwnnw nid af i fanylu y tro hwn.[15] Digon fydd nodi bod Llywelyn ab y Moel yn ei gywydd ymddiddan â'i bwrs yn dweud y byddai'n rhaid iddo roi'r gorau i fyw bywyd herwr yng Nghoed y Graig Lwyd (ger Llanymynech) a symud i fangre anghyfannedd heb fod nepell o Faelienydd yn Sir Faesyfed lle roedd uchelwyr a fyddai'n estyn nawdd iddo. Gwyddom o dystiolaeth bardd arall i Lywelyn ab y Moel dderbyn nawdd ym Maelienydd ac fe fyddai mynydd-dir Buallt ar gyrion gorllewinol Maelienydd yn ateb i'r dim ddisgrifiad Llywelyn o'r wlad anghyfannedd lle câi loches.

Gan fod Llywelyn ab y Moel wedi byw hyd 1440, y mae'r traddodiad a gofnododd Edward Llwyd yn gronolegol gywir yn gosod Lewsyn ap Moelyn ar ôl Rhys Gethin.

Trown ein sylw yn awr at y traddodiad am Rhys Gethin ei hunan. Er chwilota llawer ni lwyddais i

---

15 LlC 15, tt. 289-305.

ddod o hyd i ogof Carreg Cethin nac unrhyw ogof arall a briodolir i Rhys Gethin o fewn terfynau plwyf Llanfihangel Abergwesyn, ond rhyw ychydig bach dros y ffin ym mhlwyf Llanwrtyd, mewn craig yn uchel i fyny ar lechwedd Alltwinau, mae rhyw lun ar ogof a elwir yn Ogof Rhys Gethin (Twll Rhys Gethin sydd ar y Mapiau OS). O'r ffordd rhwng Abergwesyn a Llanwrtyd mae Craig Alltwinau, sef safle'r ogof, i'w gweld tua'r dwyrain, yr ochr draw i afon Irfon (cyfeiriad grid SN 860 492).

Mae'r dystiolaeth gyhoeddedig gynharaf am yr ogof hon i'w chael yng nghylchgrawn *Y Gwiliedydd* 1827 mewn traethawd ar hanes plwyf Llanwrtyd:

> Dangosir ar y tyddyn a elwir Llwyngwychwyr, yng Nghraig Allt y Waun [sic], ogof Rhys Gethin, yr hwn, medd traddodiad y trigolion, oedd yspeilydd hynod; megis hefyd rhigymydd ffraethlym yn yr amseroedd cynt, ac am yr hwn y mynegant chwedl wrachïaidd o oes i oes. Nid digon gan Rhys oedd chwilienna eiddo deiliaid y Brenhin, eithr efe a ychwanegodd waradwyddo y Brenhin ei hun, gan ddywedyd,

> 'Y Brenhin bia'r holl ynys
> Ond yr hyn a ranwys i Rys'

Wel, dyfod a wnaeth [y brenin] a buan y
cyrchwyd Rhys atto; a chyhuddwyd ef o amryw
droseddau, megis chwilenna a lladratta. 'Ac
heblaw hyn oll', eb y brenhin . . . 'clywaf i ti
fy ngwaradwyddo innau drwy rigymau brad-
fwriadol. Gad i mi eu clywed hwynt yn ebrwydd'.
'Yn ddiau' attebai yr ysbeilydd dychrynedig, 'ni
rigymais i ddim ond hyn,

> 'Y Brenhin bia'r holl ynys
> A chyrau Ffraingc a chorph Rhys'

'O wel, wel,' eb y brenhin, 'os dyna y cwbl,
gollyngwch Rhys ymaith'

Soniais eisoes am A. G. Bradley fel y gŵr a ddygodd
Rhys Gethin 'hanes' i amlygrwydd ddechrau'r ganrif
ddiwethaf, ac ef hefyd oedd golygydd y llyfryn *A Guide
to Llanwrtyd Wells* a ymddangosodd yn 1902. Ond
os gwyddai am y traddodiad lleol a gysylltai Rhys
Gethin â'r plwyf, ni roddodd sylw iddo yn y *Guide*,
nac ychwaith yn ei gyfrol *Byeways and Highways*

*Craig Alltwinau, rhwng Abergwesyn a Llanwrtyd.
Mae'r saeth yn nodi safle Twll Rhys Gethin.*

of South Wales a gyhoeddwyd yn 1914, er ei fod yn rhoi sylw i Rhys Gethin 'hanes' yn ei ail gyhoeddiad. Erbyn argraffiad 1927 o'r *Guide to Llanwrtyd Wells*, a Bradley erbyn hynny wedi ildio'r olygyddiaeth i George Ethelbert Sayce, golygydd y *Brecon & Radnor Express*, fe geir y sylw canlynol ar dudalen 7:

> There is evidence to show that during the wars with the Saxons many of the inhabitants of Llanwrtyd district served under Owain Glyndŵr and one Rhys Gethin became an officer & fought in many wars.

Wyth mlynedd yn ddiweddarach, yn rhaglen yr ysgol haf a gynhelid yn Llanwrtyd, sonnir am wibdaith i 'Ogof Rhys Gethin, swyddog dan Owain Glyndŵr' a drefnwyd gan Evan Jones, yr hynafiaethydd enwog o Dy'n-pant, Llanwrtyd, a D. A. Jones, prifathro Ysgol y Cyngor, Llanwrtyd. Y mae'n bur debyg, felly, mai Evan Jones oedd ffynhonnell y traddodiad a gysylltai'r Rhys Gethin hwn o Lanwrtyd â Glyndŵr.

Os Rhys Gethin Nantconwy oedd Rhys Gethin 'hanes', fel y myn rhai haneswyr, sut y llwyddodd gŵr

*Brian Watkins, Llwyngwychwyr, yn penlinio wrth
enau Twll Rhys Gethin ar Alltwinau.*

o Wynedd bell i wneud y fath argraff ar werin Buallt fel bod y cof amdano'n fyw ar lafar gwlad chwe chan mlynedd yn ddiweddarach? Dyna'r dirgelwch y mae angen ei ddatrys. Felly yn ôl â ni i Ogof Rhys Gethin yng Nghraig Alltwinau.

Wrth odre Alltwinau, a rhyw ddau led cae o afon Irfon, mae Llwyngwychwyr, ffermdy y mae gennym gyfeiriadau ato mewn gweithredoedd yn ymestyn yn ôl i'r ail ganrif ar bymtheg.[16] Ond mae'r lle yn llawer hŷn na hynny hefyd gan fod llawysgrif Peniarth 131 o ddechrau'r unfed ganrif ar bymtheg yn dangos i Lwyngwychwyr fod yn eiddo i gangen o dylwyth Elystan Glodrydd, ac mai'r penteulu yng nghyfnod Owain Glyndŵr oedd gŵr o'r enw Owain ap Rhisiart ap Gruffudd ap Llywelyn ap Maredudd Bengoch.[17] Trwy ryw lwc mae gennym dystiolaeth bod yr Owain ap Rhisiart hwn, a'i deulu, wedi bod yn gefnogwyr selog i Owain Glyndŵr o'r cychwyn cyntaf ac iddynt golli eu tiroedd ym Muallt oherwydd hynny.

16 Neuadd Fawr, rhif 565-6.
17 WG Elystan Glodrydd.

Dyma dystiolaeth o'r *Patent Rolls* 12 Tachwedd 1401 lle mae'r Brenin Harri IV yn trosglwyddo'u tir i Hywel Fychan o arglwyddiaethau Maesyfed a Rhaeadr Gwy:[18]

> Grant for life to Howel Vaughan, in consider-
> ation of the great losses which he sustained in
> the burning of his houses and the destruction
> of his goods by the insurrection of the rebels
> in Wales, of all the lands late of Oweyn ap
> Ricard and his sons [o Lwyngwychwyr]
> Richard ap Gruffuth [nai i Owain ap Richard
> o Lwyngwychwyr] Richard Hire [cymydog
> a pherthynas pell] and Rees ap Ricard
> and his sons [brawd i Owain ap Richard
> o Lwyngwychwyr] in Buelt in the Kings
> hands by their forfeiture because they rose in
> insurrection with Oweyn Glyndourdy and the
> Welsh rebels, to the value of 20 l. yearly ...

Nid yw'r cofnod hwn yn rhoi enwau i feibion Llwyn-gwychwyr, ond yn ôl llawysgrifau achyddol roedd

---

18 Cal PR (1401–5), t. 14.

yna dri ohonynt: Dafydd, Gruffudd, a Rhys Gethin,
a adwaenid yn gyffredin fel Rhys Gethin o Fuallt er
mwyn gwahaniaethu rhyngddo a'r chwe gŵr arall o'r
un enw. Ac nid dyma'r unig dystiolaeth o ymlyniad
Rhys Gethin o Fuallt wrth achos Glyndŵr. Mewn
cywydd i'w fab Rhisiart, y byddaf yn cyfeirio ato eto,
dywed Ieuan ap Hywel Swrdwal am Rhys Gethin o
Fuallt:[19]

> Â dur glew, dewr a glywais,
>
> Ei dad a dorrai siad Sais.[20]
>
> Ni throes ei gefn ar efnys[21]
>
> Naddo 'rioed, led ei droed, Rys.
>
> Gwyn ein byd a gano'n bert,
>
> Gwedy Rhys, gadw Rhisiert.

Ymddengys, felly, y câi Rhys Gethin o Fuallt ei adnabod
fel ymladdwr di-ildio a holltwr pennau Saeson.

Gan fod Ogof Rhys Gethin ar dir Llwyngwychwyr,
cartref Rhys Gethin o Fuallt, credaf y gallwn deimlo'n

---

19 GHSD, t. 94.
20 = pen Sais
21 = y gelyn

weddol hyderus mai o'i gwmpas ef ac nid rhyw Rhys Gethin arall y tyfodd y traddodiad llafar yn y cwr hwn o Fuallt. Ond a ellir bod yr un mor hyderus mai ef oedd Rhys Gethin 'hanes'?

Soniais eisoes am y ddau gyfeiriad pendant sydd gennym at y gŵr hwnnw. Yn gyntaf, llythyr Jankyn Havard yn enwi'r pedwar a welwyd gyda Glyndŵr yn Nyffryn Tywi yn 1403: Henri Dwnn o Gydweli, Rhys Ddu o Geredigion, Rhys ap Gruffudd ap Llywelyn Foethus, cwnstabl Castell Dryslwyn, a Rhys Gethin. Gan fod y tri cyntaf o dde Cymru – Cydweli, Ceredigion a Dyffryn Tywi – onid yw'n haws credu mai Rhys Gethin o Fuallt oedd gyda'r penaethiaid taleithiol hyn yn Nyffryn Tywi yn hytrach na'r Rhys Gethin o Nantconwy bell?

Mae'r diweddar Athro Rees Davies yn ei erthygl 'Owen Glyn Dŵr and the Welsh Squirearchy' yn *Trafodion y Cymmrodorion* 1968 yn dweud, 'it could be demonstrated, for example, how closely intermarried were the leaders of the revolt in Carmarthenshire ...' ac rwyf am fanteisio ar ei sylw i ddangos pa mor agos yr oedd Rhys Gethin o Fuallt yn perthyn i rengoedd y gwrthryfelwyr, yn enwedig y rhai a oedd gyda Glyndŵr yn Nyffryn Tywi yn 1403.

Roedd Rhys ap Gruffudd ap Llywelyn Foethus a Rhys Ddu yn gefndryd, y ddau yn feibion i chwiorydd yr enwog Rhydderch ab Ieuan Llwyd o Ddyffryn Aeron. Gallai Rhys Gethin o Fuallt arddel perthynas driphlyg â Rhys Ddu. Roedd chwaer iddo'n briod â mab i chwaer Rhys Ddu, a chwaer arall iddo wedi priodi cefnder i Rhys Ddu, tra bod Rhys Gethin ei hun yn briod â chyfyrderes i Rhys Ddu.

Erbyn 1403 roedd y ddau batriarch, Rhydderch ab Ieuan Llwyd a Llywelyn ap Gruffudd Fychan o Gaeo ac Ystrad-ffin, wedi cilio o'r llwyfan. Bu Rhydderch farw cyn 1398/9 a dienyddiwyd Llywelyn yng ngwydd Harri IV yn Llanymddyfri ym mis Hydref 1401, ond o'u cwmpas hwy y gwelir cydberthynas cefnogwyr Glyndŵr ar ei gorau.[22] Priododd mab i Rhydderch â chwaer i Rhys Gethin o Fuallt. Soniais eisoes fod Rhys Ddu a Rhys ap Gruffudd ap Llywelyn Foethus yn neiaint i Rhydderch, ac yn ôl tystiolaeth y beirdd

22 PWLMA, tt. 117, 360.

roedd Phylip ap Rhys o Gefn Cenarth, Pant-y-dŵr, a briododd ferch i Owain Glyndŵr, hefyd yn nai iddo. Gallai Llywelyn ap Gruffudd Fychan o Gaeo arddel cysylltiad â Glyndŵr hefyd gan fod un o'i bedwar tad-yng-nghyfraith yn briod â merch arall i Owain. Gyda golwg ar dair o'i bedair gwraig, roedd un yn chwaer i wraig Maredudd ap Henri Dwnn o Gydweli (ac fe gofiwn fod Henri Dwnn yn un o'r pedwar gyda Glyndŵr yn Nyffryn Tywi), un arall yn chwaer i Rhys ap Gruffudd ap Llywelyn Foethus, a'r olaf yn chwaer i Rhydderch ab Ieuan Llwyd. Dylid nodi hefyd fod merch i frawd Llywelyn ap Gruffudd Fychan yn fam i Rhys Gethin o Fuallt. Nid oes wrth gwrs ond cwta 5 milltir dros ysgwydd mynydd rhwng Ystrad-ffin, un o gartrefi Llywelyn ap Gruffudd Fychan, a Llwyngwychwyr, cartref Rhys Gethin o Fuallt. Gwelir felly fod Rhys Gethin yn asio'n berffaith i rwydwaith cefnogwyr Owain yn y De.

Ceir yr ail gyfeiriad at Rhys Gethin 'hanes' yn llythyr y Tywysog Harri at ei dad yn Ionawr 1405 yn ei rybuddio bod Rhys Gethin yn cynnull byddin ym Muallt i ymosod ar swydd Henffordd.

A yw'n debygol, mewn difrif, y byddai Rhys Gethin Nantconwy wedi mentro mor bell o'i gynefin cefn gaeaf i godi byddin ym Muallt? Ac o wybod bod Rhys Gethin o Fuallt allan gyda Glyndŵr a bod perthynas agos rhyngddo ac arweinwyr eraill y Gwrthryfel, onid yw'n fwy rhesymol derbyn mai ato ef yr oedd y Tywysog Harri'n cyfeirio yn ei lythyr? A'r llythyr hwn, dybiaf i, yw'r dystiolaeth gryfaf dros gredu mai'r gŵr o Fuallt, yn hytrach na'i gyfenw o Nantconwy bell, oedd Rhys Gethin 'hanes'.

Os yw gallu milwrol yn nodwedd etifeddol, efallai y byddai amlinelliad o yrfa Syr Rhisiart Gethin, yr enwocaf o feibion Rhys Gethin o Fuallt, yn dystiolaeth ychwanegol o blaid ei dad. Fel amryw o aelodau'r teuluoedd hynny a oedd allan gyda Glyndŵr, dilynodd Rhisiart Gethin Harri V i Ffrainc lle y cafodd yrfa filwrol ddisglair. Yn ôl y diweddar Athro Glanmor Williams roedd yn filwr i'w gymharu â'r enwog Mathau Goch. Erbyn 1432 ef oedd yn gofalu am gaer Mantes (Mawnt, fel y dywed y beirdd) ac fe geir syniad da o'i statws a'i gyfoeth pan ystyrir ei fod, yn 1434, wedi benthyg £1,000 i Ddug Bedford, brawd Harri V a chynrychiolydd brenin Lloegr yn Ffrainc pan oedd hwnnw'n brin o arian i dalu cyflogau ei filwyr yn ystod ei ddyddiau olaf.[23]

Erbyn diwedd y pedwardegau roedd y llanw wedi troi yn erbyn y Saeson, a threfi Normandi'n syrthio i ddwylo'r Ffrancwyr. Yn ôl y bardd Guto'r Glyn, a oedd ei hun yn filwr yn Ffrainc erbyn hynny, roedd Syr Rhisiart Gethin yn un o warchodwyr Rouen, a phan gwympodd y dref honno yn 1450 mae Guto, yn y cyntaf o ddau gywydd a ganodd i'w noddwr, yn sôn amdano'i hun yn gwylio'r ffoaduriaid yn cilio o Rouen gan ddisgwyl yn ofer am gip ar Rhisiart Gethin yn eu plith:[24]

> Oer oedd weled urddolion
> A'r ieirll yn dyfod o Rôn;
> Pob capten o sifften Sais
> O waelod Lloegr a welais.
> Band rhyfedd, o'r mawredd mau,
> Bayli Mawnt, ble mae yntau?. . .

23 RRR, tt. 168-72; GHSD, tt. 195-6.
24 GGG, tt. 3-7.

> O Fair ddiwair, a ddaw ef
>
> Yn hydr yma 'nghefn Hydref?

Yn ei ail gywydd mae Guto'n llawenhau nad oedd y si bod Rhisiart Gethin wedi'i garcharu gan y Ffrancwyr yn wir wedi'r cwbl:

> Dynion a ddywaid anwir
>
> Ddala'r gwalch, i ddiawl air gwir.

Ond mae'n debyg nad oedd Rhisiart Gethin yn fodlon gadael Ffrainc: 'nis gad y wlad oludog' meddai Guto, ac ar sail y llinell hon awgrymodd yr Athro Glanmor Williams y gallasai Rhisiart Gethin, fel o leiaf un Cymro arall, fod wedi dewis trosglwyddo'i wrogaeth i frenin Ffrainc yn hytrach na dychwelyd adre gyda'r fyddin.

Yn gysylltiedig â dau gywydd Guto yn y llawysgrifau mae'r englyn a ganlyn a ganodd rhyw fardd anhysbys i Syr Rhisiart Gethin:

> Ni chiliodd Richard uchelwin, eurgledd
>
> > Arglwydd *Dinas Kerddin*
> >
> Vylchiwr cad vayddiad vyddyn
>
> Erioed led ei droed o'r drin.

Y mae'r ffaith i'r bardd ei gyfarch fel Arglwydd Dinas Cerddin yn dra diddorol gan fod bryn 'Dinas' a chwm 'Cerdin' o fewn llai na milltir i Lwyngwychwyr, cartref Rhys Gethin o Fuallt, tad Syr Rhisiart Gethin.

Canodd Ieuan ap Hywel Swrdwal, Lewys Glyn Cothi, Deio ab Ieuan Du ac Owain Gwynedd gywyddau i ddisgynyddion Rhys Gethin o Fuallt, ac enwir ef ganddynt, ond gan nad oes yn y cerddi ddim i'w ychwanegu at ein gwybodaeth amdano nid oes pwrpas eu hystyried ymhellach. Yn hytrach, hoffwn gyfeirio at un trywydd arall a allai o bosibl arwain at ddatgelu cysylltiad pellach rhwng tylwyth Rhys Gethin o Fuallt ac Owain Glyndŵr. Mewn cofnodion swyddogol o flynyddoedd cynnar y bymthegfed ganrif[25] ceir nifer o gyfeiriadau at ryw Owain ap Gruffudd ap Rhisiart, carcharor a dreuliodd ei gaethiwed yng nghwmni Gruffudd, mab Owain Glyndŵr. Bu yng ngharchar am o leiaf bum mlynedd, o Fehefin 1408 hyd 29 Mai 1413, pan gafodd bardwn gan y brenin 'for all

25 Cal PR (1413–16), t. 19; Cal CR (1409–13), t.148; IE, t. 302–6; POPC 1, t.304

treasons, insurrection, rebellions, felonies and trespasses committed by him'. Cyfeirir ato fel 'secretaire', sef ysgrifennydd i Owain Glyndŵr, ac mae'n rhaid ei fod yn garcharor o bwys gan fod y lwfans dyddiol a delid amdano, sef 3s 4c, yr un faint ag a delid am fab Glyndŵr.

Pwy felly oedd y gŵr hwn? Ni cheir yr un cyfeiriad ato yn *Welsh Genealogies* Bartrum, sy'n awgrymu na adawodd ddisgynyddion ar ei ôl yng Nghymru, ond o chwilio'r mynegeion dan enw ei dad, Gruffudd ap Rhisiart, gwelir bod yno ddau berson posibl – Gruffudd ap Rhisiart ap Rhys ap Llywelyn Hoedlyw o Iscerdin yn ne Ceredigion, sy'n bosibilrwydd diddorol gan fod tiroedd gan Glyndŵr yn y cyffiniau hynny, a Gruffudd ap Rhisiart, brawd i dad Rhys Gethin o Fuallt, gŵr y gwyddom iddo golli ei diroedd ym Muallt o ganlyniad i'w ymlyniad wrth Glyndŵr. Os oedd Owain ap Gruffudd ap Rhisiart yn fab i Gruffudd ap Risiart o Fuallt (ac roedd Owain yn enw cyffredin iawn yn y teulu), yna fe fyddai'n gefnder cyntaf i Rhys Gethin o Fuallt. Ond ar hyn o bryd, wrth gwrs, ni all hyn fod yn ddim mwy na phosibilrwydd diddorol.

Os ychydig a wyddom am fywyd Rhys Gethin, fe wyddom lai fyth am ei farwolaeth. Yn dilyn brwydr Grosmwnt yng ngwanwyn 1405, ysgrifennodd y Tywysog Harri lythyr at ei dad, y brenin, yn rhoi cyfrif o'r frwydr iddo. 'O garcharorion ni chymerwyd ond un', meddai, 'pennaeth pwysig yn eu plith a byddwn wedi'i anfon atoch ond ni all eto farchogaeth yn rhwydd', awgrym, mae'n debyg fod y 'pennaeth pwysig', pwy bynnag ydoedd, wedi'i glwyfo. Dywed Mary Salmon yn ei llyfr *A source book of Welsh history* (1927) mai Rhys Gethin oedd y pennaeth, sy'n sylw digon teg pan gofir bod yna dystiolaeth iddo gynnull byddin ym Muallt rai wythnosau'n gynharach. Ond os yw Mary Salmon yn gywir, rhaid bod Rhys naill ai wedi dianc neu wedi marw o'i glwyfau gan nad oes cofnod amdano ymhlith y carcharorion eraill.

Ond y mae un llygedyn o dystiolaeth yn awgrymu iddo fyw am beth amser ar ôl 1405. Roedd ei ail wraig, yn ôl pob tebyg, yn llawer ieuengach nag ef, ac mae'n amheus a fyddai hi'n ddigon hen i briodi mor gynnar ag 1405.

Ac ystyried bod y cof am Rhys Gethin wedi'i gadw'n fyw ar lafar cyhyd, does ryfedd bod yr ardal, fel aml un arall yng Nghymru a'r Gororau, yn hawlio mai yno y claddwyd Glyndŵr hefyd. Cwta filltir i'r gogledd-gogledd-ddwyrain o Ogof neu Dwll Rhys Gethin mae llecyn a elwir yn Fedd Owain. Gan fod yr holl fynydd o'i gwmpas o dan blanhigfa drwchus o goed mae'n amheus a fydd byth modd ailddarganfod y gladdfa, ond yr awgrym yn y traddodiad llafar heddiw yw mai dyna fedd Glyndŵr.[26]

Nid dyna'r unig fan yn y gymdogaeth i hawlio bedd Owain. Dau gan mlynedd yn ôl rywle ym mhlwyf Cil-y-cwm, rhyw ddeng milltir i'r de-orllewin, yr oedd carnedd a elwid yn Crug neu Crugiau Cysgu ble roedd Glyndŵr yn gorwedd neu'n cysgu.[27] Does wybod ble yn union oedd y crug, os nad dyna enw gwreiddiol

---

26 AWC 1793/128. Cofnododd Evan Jones, Ty'n-pant, hanesyn tra gwahanol am Fedd Owain. Gŵr y Garreg Grech, tyddyn ar dir Pwll-y-bo rhwng Llwyngwychwyr ac Abergwesyn rhyw oes a fu oedd Owain. Torrodd ei galon wedi methu dod i ben â lladd cyfeiriau lawer o wair ar y mynydd. Syrthiodd ar ei bladur ac fe'i claddwyd yn y fan.
27 TW tt.343-4.

y garnedd sylweddol (6 throedfedd o uchdwr a 250 troedfedd o amgylch) yng nghwr y coed ar Fanc Llwyn Owen yng nghwr deheuol Mynydd Mallaen.

RHYS GETHIN, DRAW'N YR EITHIN[28]

Pan oedd achos Glyndŵr yn llewyrchus bu llaw
Rhys Gethin yn drwm ar Gantre Buallt mewn dwyn
y bechgyn ymaith i ymladd ei frwydrau, ac mewn
degymu cynnyrch y tir at ei gynhaliaeth ef a hwythau.

Wedi troi y rhod dechreuodd gelyniaeth, a oedd
ynghudd cyn hynny, ddyfod yn fwy amlwg. Gwnaeth
ei saith mab hefyd lawer o ddrwg i'w enw, oblegid
er ymladd yn ddewr ohonynt dros achos Glyndŵr,
annoeth ac annheg oedd eu triniaeth o'r hwsmoniaid yn
eu hymyl. Cynllun hynod iawn oedd yr eiddynt i gasglu
cynnyrch y Cantre ynghyd. Bob bore hwy a aent eu

28 Allan o *Bargodion Hanes*, Lewis Davies (Lerpwl, 1924)

saith gan arwain pob un ei farch i yfed o'r afon mewn man neilltuol, ac wedi gosod pennau y rheiny i lawr i yfed yr un pryd, marchog y ceffyl a godai ei ben gyntaf oedd i edrych am gynhysgaeth y diwrnod hwnnw.

Nid oedd wrth hynny un math ar drefn ar y casglu, caffai rhai eu trethu'n drwm, ac eraill ddianc bron yn hollol, yn union fel y byddai mympwy'r meibion. Ac er bod i Rhys eto lawer o gyfeillion, amlhau yr oedd ei elynion. Gosodwyd pris ar ei ben, a thybid y byddai i hynny goncro uniondeb rhywun neu'i gilydd i'w fradychu i weision y brenin Harri. Ond yn hynny y camsyniwyd natur trigolion y Cantre, oblegid er gwybod o lawer ohonynt ymguddfan yr hen ŵr – canys hen ydoedd erbyn hyn – ni thraddodwyd mohono.

Y man agosaf y bu i'r ddalfa oedd yn ei dŷ ei hun pan yn ymweld ohono â'i wraig fin nos. Clywodd ei briod gerdded dieithriaid ar y buarth, ac wedi gwthio ei gŵr yn frysiog i goffr yn y wal, hi a dorrodd allan i ganu, fel pe yn ddiwyd wrth ei gwaith. Baich ei chân ydoedd:

> Mae Rhys Gethin draw'n yr eithin,
> Finne sy'n y tŷ'n nyddu llin,

Clustfeiniwyd ar ei chân, a phenderfynwyd na byddai hi'n canu yn y modd hwn pe bai ei gŵr gartref, ac felly ymadawodd y fintai a dihangodd Rhys megis â chroen ei ddannedd.

Felly, 'yn yr eithin', sef mewn ogof yng Nghwm Irfon, a elwir hefyd y dydd hwn yn 'Dwll Rhys Gethin', y bu ef am fisoedd yn ymguddio ac yn cael ei luniaeth yn gyson, mewn rhyw ffordd neu'i gilydd, gan ei briod ffyddlon.

Gorfu iddo fwy nag unwaith rannu ei damaid, a'i wely brwyn â Lewsyn Ddu'r Moelyn – llechgi a lleidr pennaf Cantre Buallt, a ddeuthai i'r un ogof ar droion i ymguddio hefyd. Ond er gwybod o hwnnw y caffai ef gyfoeth anhygoel am fradychu'r 'Gŵr o Lwyngwychwyr' – sef y gŵr yr holai gwŷr y brenin gymaint amdano, – eto, nid Judas mo'r lleidr ychwaith, mwy na'r rhelyw o wŷr y Cantre.

Bu Rhys yn ddyn rhydd hyd ei fedd, fel y bu hefyd yr arwr o Lyndyfrdwy. Claddwyd y ddau yng nghorff yr un flwyddyn, a hwy, y naill fel y llall, wedi dal cyfamod bore oes yn ddifwlch i'r diwedd. ✍

Atodiad 2

⇒ TWLL A GWELY RHYS GETHIN [29] ⇐

DANGOSIR y 'twll' hwn yn mrig Craig yr Alltwineu,
fferm ar y tu dwyreiniol i afon Irfon, tua dwy filltir yn
nghyfeiriad y Gogledd o dref Llanwrtyd.

Mae y fynedfa i mewn iddo yn isel a chyfyng, yn
gymaint felly fel mae gydag anhawster y gall dyn o
faintioli cyffredin fyned ar ei draed a'i ddwylo i mewn
iddo; ond wedi yr eir ymlaen i'w ben pellaf, y mae'r
lle yn ddigon eang ac uchel i unrhyw ddyn sefyll yn
unionsyth ar ei draed ynddo, gyda rhwyddineb; a daw
ychydig oleuni gwanaidd i mewn iddo o'r pen uchaf.

---

29 O lawysgrifau Evan Jones, Ty'n-pant, Llanwrtyd,
   yn Amgueddfa Werin Cymru, AWC 1793/117.

Y mae hen draddodiad lleol ramantus yn nglyn a'r 'twll' hwn yn fyw o hyd ymhlith yr ardalwyr, ac a adroddir yn debyg i hyn. – Ryw gyfnod maith yn ol yr oedd yn byw yn Llwyngwychwyr, fferm yn ymyl, gymeriad hynod o'r enw Rhys Gethin, ac iddo saith o feibion, y rhai oeddynt hefyd wedi eu dwyn i fyny i'r un bywyd ac arferion ysbeilgar a'u Tad. Dywed traddodiad yn mhellach, fod ar enw pob un o'r saith mab farch, yr hun oedd at eu gwasanaeth i fyned ar eu crwydriadau ysbeilgar y nos, a'r cynllun oedd ganddynt i benodi pa un o'r meibion oedd i fyned ar hynt i ladrata y noson hono, oedd – pan ddygent eu ceffylau i'r afon i'w dwfrhau, teflid carreg i'r dwfr o'u blaen, a'r march a godai ei ben gyntaf o'r dwfr, hwnnw a'i berchen fyddai i fyned i edrych am ysbail y noson honno.

Mae yn afon Irfon, yr hon a lifai drwy odreu y tir a enwyd, ddau le a elwir hyd heddyw 'Crych y Cawr', a 'Rhyd Crych y Cawr', lleoedd mae'n debyg a gawsant

eu henwau oddi wrth arferiad y Cawr Rhys Gethin
a'i feibion o fyned a'u mheirch iddynt "i'r dwr". Felly
yr oedd y teulu hyn, meddir, yn byw ar ladradau, ac
nid oedd terfyn ar eu gweithredoedd direidus ar hyd a
lled y wlad o amgylch, fel yr oedd eu harswyd ar bawb
trwy'r cwmpasoedd o'r bron. Nid digon y chwaith
oedd gan Rhys a'i deulu i fyw ar ysbail, ond i gyrhaedd
ei amcanion a'i ystryw, ceisiai hefyd dwyllo y wlad
drwy ffugio ei fod ef yn frenin ar ryw ran ohoni, gan
ddywedyd –

> Y Brenin bia'r Ynys.
>
> Ond yr hyn a ranws i Rhys.

O'r diwedd, wedi i'r wlad hir ddioddef direidi ac
ystranciau y giwaid ddrwg ac ysbeilgar yma, gyrodd
yr ardalwyr achwyniaid arnynt at y Brenin, yntau yn
ddioedi a anfonodd genadon i ddal Rhys, ac i'w ddwyn
o'i flaen ef. Pan ddeallodd Rhys fod cenadwri yn
dyfod i'w ddal, ffodd rhagddynt am loches yn y graig a
enwyd yn barod [Twll Rhys Gethin] ac yno y bu ef am
ryw ysbaid o amser, ac yn cael ei borthi yn ddirgel gan
ei deulu.

Dywedir ei fod hefyd yn symud yn y nos ol a blaen o Graig yr Alltwineu i Letty Whiten,[30] craig ar y tu Gorllewinol i'r afon Irfon, ar Gwm Irfon, a dangosir ysgafell fechan wastad yn nghanol y graig ysgethrog hon, lle y llochesai am ryw adeg rhag ei erlidwyr, ac mae'r lle yna yn cael ei alw yn "Wely Rhys Gethin" hyd yn awr.

---

30 Mae Craig Llety Whiten bron o'r golwg mewn planhigfa goed y tu ôl i ffermdy Cwm Irfon.

AWC	Llawysgrifau Amgueddfa Werin Cymru
CMRW	*A Catalogue of the Manuscripts Relating to Wales* (gol. Edward Owen) (Cymdeithas y Cymmrodorion, 1900-22)
CHC	*Cylchgrawn Hanes Cymru* 1 (1960) -
Cal CR	*Calendar of the Close Rolls* (Record Publications) 1902-
Cal FR	*Calendar of Fine Rolls* (Record Publications) 1911-
Cal PR	*Calendar of the Patent Rolls* (Record Publications) 1901-
GGG	*Gwaith Guto'r Glyn* (goln J. Ll. ac Ifor Williams) (GPC, 1961)
GHSD	*Gwaith Hywel Swrdwal a'i Deulu* (gol. Dylan Foster Evans) (Aberystwyth, 2000)
IE	*Issues of the Exchequer* . . . (gol. Frederick Devon) Henry III-VI (Llundain, 1837)

IGE   *Cywyddau Iolo Goch ac Eraill*
        (gol. Henry Lewis) (GPC, 1937)

LlC   *Llên Cymru* 1 (1950) -

Neuadd Fawr Casgliad Gweithredoedd yn Llyfrgell
        Genedlaethol Cymru

Peniarth   Casgliad Llawysgrifau yn Llyfrgell
        Genedlaethol Cymru

POPC   *Proceedings and Ordinances of the Privy*
        Council of England
        (gol. Harris Nicolas) 1-3 (1834)

PWMLA   *The Principality of Wales in the Later Middle*
        Ages, Ralph A. Griffiths (GPC, 1972)

RC   *The Record of Caernarvon* (George Eyre, 1838)

RRR   *Recovery, Reorientation and Reformation.*
        Wales 1415-1642,
        Glanmor Williams (GPC, 1987)

TW   *Tours in Wales (1804-1813),*
        Richard Fenton (CAA, 1917)

WG   *Welsh Genealogies AD 300-1400*, 1-8.
        Peter C. Bartrum (GPC, 1974)